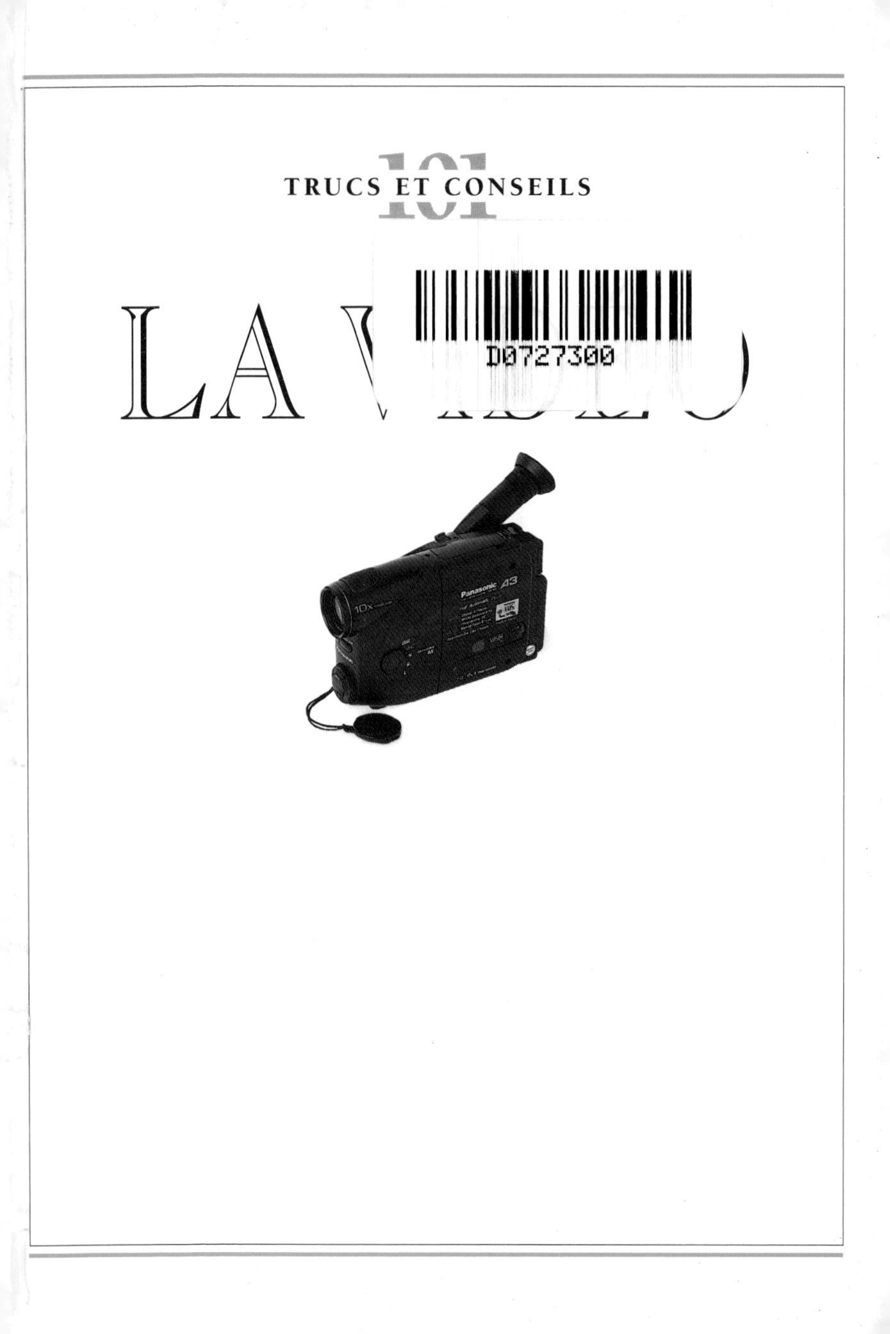
101
TRUCS ET CONSEILS
LA V
D0727300
Panasonic A3
10x

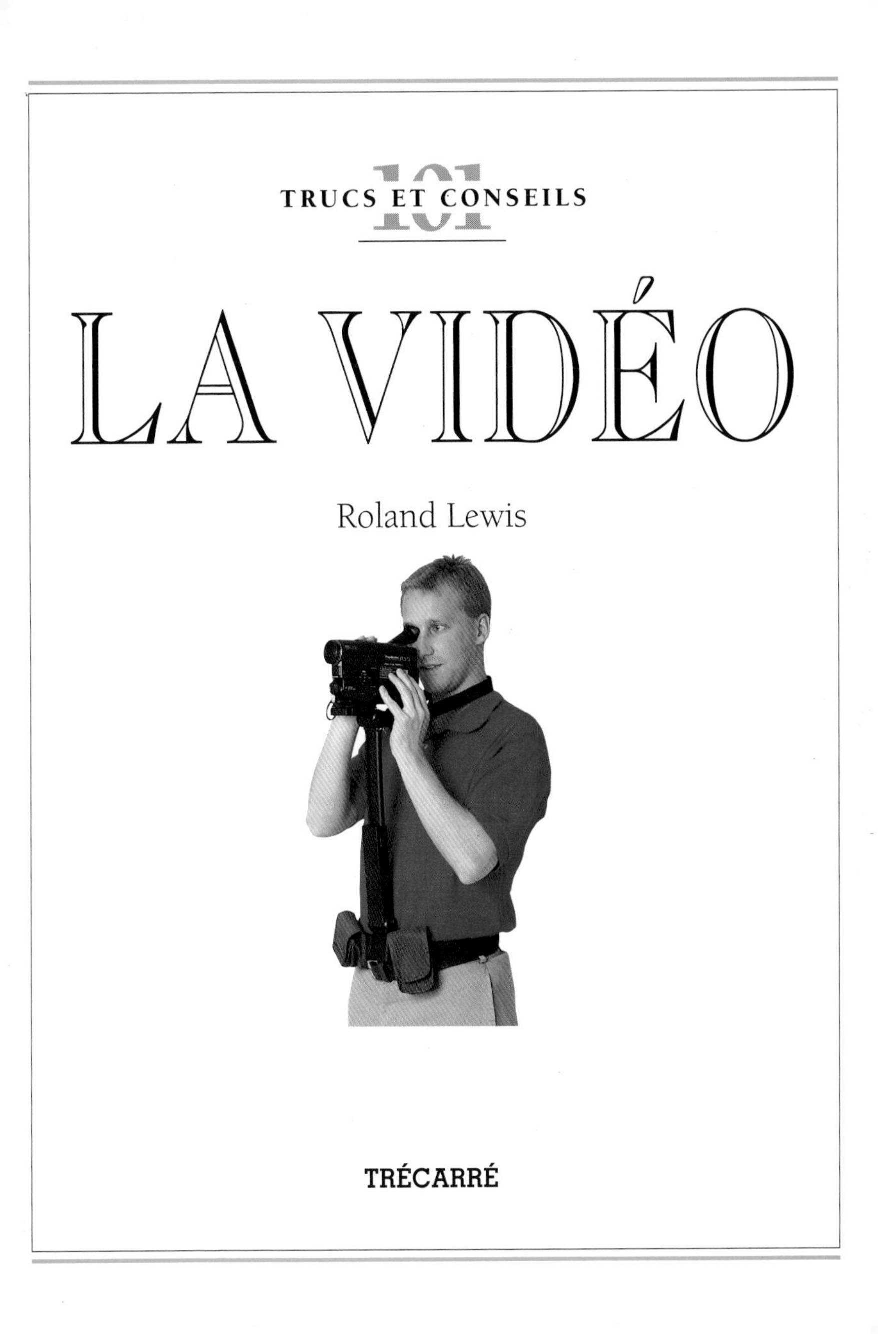

101 TRUCS ET CONSEILS

LA VIDÉO

Roland Lewis

TRÉCARRÉ

Ce livre est un ouvrage Dorling Kindersley

Première édition en Grande-Bretagne en 1995 par
Dorling Kindersley Limited

ISBN 2-89249-620-9

Dépôt légal 1996
Bibliothèque nationale du Québec

Imprimé en Italie

101 TRUCS ET CONSEILS

SONY

PAGES 52 à 54

COMPRENDRE L'ÉCLAIRAGE

PAGES 55 à 59

MONTAGE

PAGES 60 à 62

UN MARIAGE

PAGES 63 à 65

LES VACANCES

PAGES 66 à 67

LE SPORT

PAGES 68 à 69

LES ANIMAUX

INDEX

LE CHOIX DU MATÉRIEL

1 QU'EST-CE QU'UN CAMÉSCOPE

Un caméscope est une caméra et un enregistreur vidéo combinés dans un seul appareil compact capable d'enregistrer avec le son les images en mouvement et en couleurs. Les caméscopes sont d'un emploi très facile et ils offrent la possibilité de pouvoir revoir une scène immédiatement après l'avoir filmée. Si vous n'êtes pas tout à fait satisfait de votre prise de vue, vous pouvez simplement l'effacer et l'enregistrer à nouveau jusqu'à ce qu'elle soit parfaite.

- Les fonctions élémentaires de la caméra sont en général entièrement automatisées, bien que certains modèles plus sophistiqués présentent la possibilité d'un débrayage manuel.
- Les caméscopes plus élaborés utilisent souvent une technique digitale pour produire des effets visuels spéciaux.

SOURCES D'ALIMENTATION

Votre caméscope fonctionne à partir de batteries rechargeables. On peut également le brancher sur le secteur ou sur une batterie de voiture. Utilisez toujours la batterie au voltage correspondant à votre modèle, et ne l'utilisez jamais avec un autre équipement. Rangez la batterie dans un endroit frais et déchargez-la entièrement avant de la recharger.

Le viseur sert aussi de moniteur.

Touche de zoom

La batterie rechargeable est fixée au dos du caméscope.

La touche de marche/arrêt sert à démarrer l'enregistrement.

La courroie réglable est fixée au côté droit et permet de tenir fermement le caméscope.

Un microphone intégré est placé sur l'avant du caméscope.

Le viseur réglable offre une souplesse d'emploi.

La fenêtre du porte-cassette vous permet de vérifier que la cassette est bien chargée.

Sur ce modèle, le panneau sur le côté gauche s'ouvre sur un écran à cristaux liquides qui permet de contrôler l'enregistrement.

Tous les caméscopes modernes sont équipés d'un zoom (cet objectif grossit 12 fois).

Porte-cassette

Ce boîtier loge les commandes qui permettent de relier l'appareil à un téléviseur.

2 CHOISIR VOTRE CAMÉSCOPE

Familiarisez-vous avec l'étendue des possibilités offertes par de nombreux caméscopes, afin de choisir le modèle qui convient à vos besoins. Les appareils les plus simples sont entièrement automatisés pour des enregistrements sans réglages, d'autres sont munis de commandes qui permettent une plus grande créativité personnelle.

Viseur

Capuchon d'objectif

△ CAMÉSCOPE COURANT
Les caméscopes les plus simples sont relativement bon marché. Ils sont entièrement automatiques et sont un bon choix pour celui que la technique intéresse peu et qui souhaite enregistrer les événements familiaux, sans faire de la vidéo son passe-temps favori.

Le système de mise au point est entièrement automatique.

△ CAMÉSCOPE DE GAMME MOYENNE
Choisissez plutôt un caméscope de gamme moyenne si vous avez l'intention de faire de la vidéo un peu plus sérieusement. Les possibilités supplémentaires que procurent ces modèles peuvent donner à vos enregistrements vidéo une allure plus professionnelle.

LE CAMÉSCOPE DE L'AMATEUR AVERTI ▷
Pour l'amateur très averti, il existe des modèles dotés d'une large panoplie de fonctions spécifiques, qui peuvent améliorer les enregistrements. Le prix de ces appareils, toutefois, est souvent aussi décourageant que la complexité de leurs commandes.

Commandes d'effets spéciaux

3 LES FORMATS DU CAMÉSCOPE

Lorsque vous achetez un caméscope, réfléchissez au format (dimension de la bande) qui vous conviendrait le mieux. Le format VHS est pratique, dans la mesure où il est compatible avec la plupart des magnétoscopes de salon. Le V-8 est un format plus petit (les cassettes vidéo 8 mm sont à peine plus grosses que des cassettes audio).

Cassette S-VHS

Cassette Hi-8

△ CASSETTE HAUTE QUALITÉ
Les cassettes S-VHS, S-VHS-C et Hi-8 sont des versions de haute qualité des trois différents formats. Elles produisent une image de meilleure qualité, mais ne peuvent être lues que sur des magnétoscopes de haute qualité.

Adaptateur

Cassette S-HS-C

COMPACT ▷
Le VHS-C est un excellent compromis. Utilisez un adaptateur pour lire ces bandes d'un demi-pouce sur un magnétoscope de type VHS.

ADAPTATEURS TÉLÉ

4 CHOIX DES COMPLÉMENTS D'OPTIQUE

Augmentez les possibilités de votre zoom du téléobjectif au grand-angle en adaptant des compléments d'objectif. L'utilisation d'un adaptateur grand-angle vous permet d'élargir l'angle de vue limité de votre zoom. Plus la longueur focale de votre objectif augmente, plus il est difficile d'assurer à l'image une stabilité. Il est donc indispensable, avant d'investir dans un adaptateur téléobjectif, d'acheter un trépied de bonne qualité.

Adaptateurs grand-angle

Adaptateur téléobjectif

QUEL COMPLÉMENT CHOISIR ?
Les adaptateurs télé sont particulièrement utiles pour filmer des images de la vie sauvage ou d'autres sujets difficiles d'approche. Les adaptateurs grand-angle sont utilisés pour filmer des paysages ou des intérieurs. Avant d'acheter un adaptateur, vérifiez-en les répercussions sur votre système.

5 FILTRES À EFFETS SPÉCIAUX

Utilisez des filtres pour produire des effets visuels ou pour compenser les problèmes d'éclairage. Le filtre ultra-violet (U.V.) est le plus précieux pour la vidéo. Il réduit le voile bleu qui apparaît souvent dans les séquences filmées en extérieur par temps ensoleillé. Il peut rester fixé en permanence pour protéger éléments de l'optique.

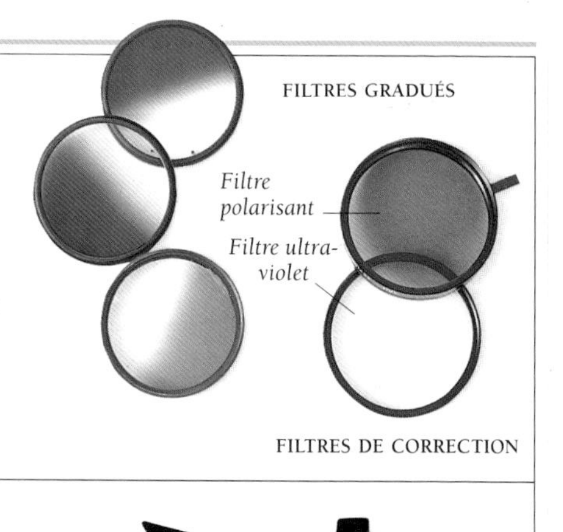

6 ÉCLAIRAGES VIDÉO

Bien que la plupart des caméscopes soient conçus pour filmer avec un niveau de lumière très bas (on peut enregistrer à la lumière d'une bougie), c'est avec un éclairage puissant que l'on obtient les images de meilleure qualité. Choisissez dans un large éventail d'éclairages vidéo, de la petite torche alimentée par accus et peu chère à des éclairages plus puissants branchés sur le secteur.

ÉCLAIRAGE ALIMENTÉ SUR LE SECTEUR

Volets

Torche avec batterie séparée

ÉCLAIRAGE ALIMENTÉ PAR BATTERIE

Câble spiralé relié à la batterie

Torche fixée sur le caméscope

Petite torche alimentée par batterie

MATÉRIEL D'ÉCLAIRAGE
Le matériel d'éclairage est en général conçu pour être déplacé. Certaines petites torches peuvent être montées sur la grille porte-accessoires du caméscope.

7 Pieds et supports

Un trépied ou toute autre forme de support est souvent indispensable pour assurer la stabilité des images.

■ La maniabilité est bien sûr une considération importante. Mais ne soyez pas tenté de sacrifier la robustesse à la légèreté. Il serait dommage d'utiliser un trépied trop léger qui pourrait trembler ou basculer au premier coup de vent.

■ Un support à placer sur l'épaule ou sur la poitrine vous aidera à stabiliser votre image quand vous filmez en mouvement.

8 Microphones

Variez et améliorez la qualité de vos enregistrements sonores en ajoutant un micro supplémentaire à votre panoplie d'accessoires.

■ Certains micros peuvent être fixés directement sur le caméscope pour doubler le microphone existant.

■ La qualité de l'enregistrement et les utilisations possibles des différents types de micros dépendent de leur réponse directionnelle (*voir p. 51*).

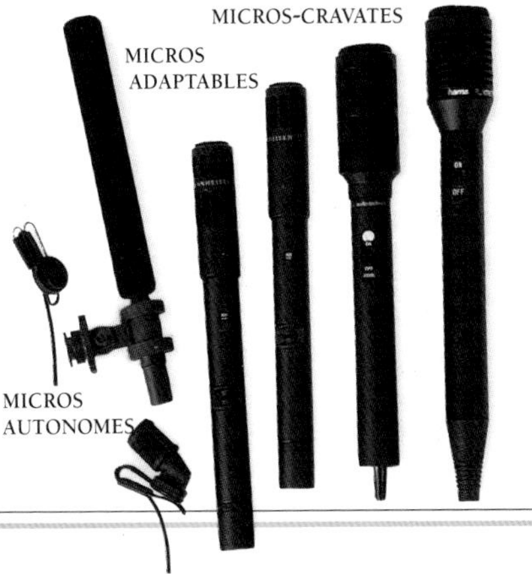

9 ÉCOUTEURS

Vérifiez le son que vous enregistrez en utilisant des écouteurs. Des écouteurs standard suffiront, mais les casques, plus grands, qui couvrent entièrement l'oreille, éliminent plus efficacement les bruits de fond extérieurs indésirables.

- En cas de nécessité, soyez prêt à filmer dans une autre position pour éviter tout bruit de fond indésirable.
- Le niveau sonore est réglé automatiquement par votre caméscope.

Micro personnel

CASQUES AUDIO

10 ENTRETIEN ET NETTOYAGE

Les caméscopes sont des instruments de précision qui doivent être entretenus régulièrement et toujours manipulés avec précaution. Évitez tout contact avec la poussière, le sable et l'eau, ce qui peut provoquer des dommages irréversibles. Remettez toujours le capuchon de l'objectif et enlevez la batterie et la cassette quand l'appareil n'est pas utilisé.

Nettoyez l'extérieur de votre appareil avec un chiffon doux

Utilisez un pinceau soufflant pour nettoyer l'objectif.

Il est nécessaire d'utiliser un agent anti-condensation à l'intérieur de la sacoche.

Tissu optique

Liquide et tissu optiques

Un filtre U.V. protégera votre objectif pendant l'utilisation du caméscope.

11 SACOCHES

Une sacoche étanche et robuste est indispensable pour transporter en toute sécurité votre matériel.

- Choisissez une sacoche suffisamment grande pour contenir toute une série d'accessoires.
- Un fourre-tout muni de petites poches pourra contenir n'importe quel modèle de caméscope compact et vous permettra d'accéder facilement à votre matériel.
- Les mallettes rigides protègent mieux, et vous pouvez même être amené à vous en servir comme d'un socle bien pratique pour gagner de la hauteur quand vous filmez.

SACOCHE COMPTACTE ▽△
Les sacoches légères en toile sont idéales pour protéger les caméscopes plus petits. Ces sacoches doivent être munies d'une solide bandoulière et suffisamment grandes pour stocker des batteries et des cassettes de rechange.

Étui pour batteries et cassettes de rechange

Découpez la forme de votre caméra et des accessoires dans la mousse.

◁ MALLETTE EN ALUMINIUM
Les mallettes en aluminium sont les mieux conçues pour protéger votre matériel, mais sont relativement chères.

LES TECHNIQUES DE BASE

12 COMPRENDRE L'OUVERTURE

Le terme « ouverture » s'applique à l'ouverture de l'objectif, qui détermine la quantité de lumière qui atteint les capteurs de votre caméscope. En tant qu'un des éléments principaux du système automatique d'exposition de votre caméscope, le diamètre de l'ouverture est contrôlé électroniquement. Le système d'exposition automatique est particulièrement utile, car il vous permet de vous concentrer pleinement sur les autres aspects du tournage. Dans certaines conditions toutefois, l'éclairage peut être mal interprété et il est utile de procéder manuellement.

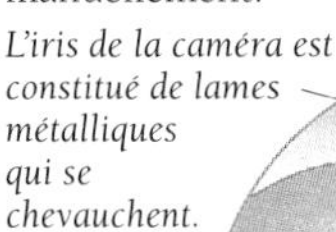

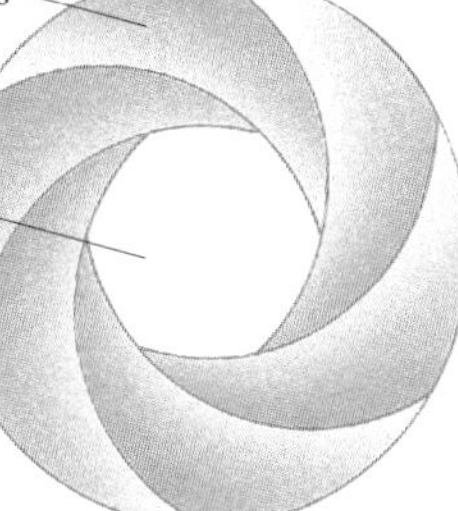

L'iris de la caméra est constitué de lames métalliques qui se chevauchent.

L'ouverture de l'iris contrôle la quantité de lumière qui atteint la capteur.

DIAPHRAGME DE L'IRIS △
Le diaphragme de l'iris, constitué de lamelles métalliques qui se chevauchent, est contrôlé électroniquement. Le réglage de l'ouverture se vérifie dans le viseur pendant que vous filmez.

LUMIÈRE FORTE
A la lumière du soleil, l'iris se rétrécit jusqu'à former une petite ouverture.

À LA LUMIÈRE DES BOUGIES
En lumière faible, l'iris s'ouvre jusqu'à ce que l'ouverture atteigne son plus grand diamètre.

13 UN SUJET BIEN EXPOSÉ

L'exposition automatique de votre caméscope est conçue pour donner les meilleurs résultats par forte luminosité, quand l'image obtenue est contrastée et quand les couleurs sont naturelles. On peut toutefois obtenir une image en faible lumière, et bien qu'elle n'ait pas la même transparence, cette vue peut parfois, par son aspect doux et granuleux, mieux restituer l'ambiance du sujet (*voir ci-dessous, à gauche*). La surexposition (*voir ci-dessous, à droite*) peut rehausser certains plans.

IMAGE SOUS-EXPOSÉE

EXPOSITION « CORRECTE »

IMAGE SUREXPOSÉE

14 PROBLÈMES DE L'EXPOSITION AUTOMATIQUE

Certaines situations peuvent gêner le système d'exposition automatique :

- L'exposition change de façon notable si le cadrage se déplace d'une zone de forte lumière vers une zone très sombre. Réglez l'exposition manuellement, ou bien considérez les deux zones comme des plans différents et filmez à nouveau.
- Il arrive également fréquemment qu'un paysage se situe sur un fond de ciel trop important. Les capteurs lisent alors la lumière à partir du ciel et le paysage apparaît trop sombre (*voir ci-dessous*).

△ PAYSAGE SOUS-EXPOSÉ
Ici, les capteurs de l'appareil ont calculé l'exposition sur l'étendue du ciel.

△ EXPOSITION CORRECTE
Le fait d'abaisser le caméscope pour inclure plus de premier plan permet de corriger l'exposition.

15 SOLUTIONS AU CONTRE-JOUR

Le contre-jour est fréquemment source de problèmes pour le système d'exposition automatique.
Quand vous filmez par exemple en intérieur et que votre sujet se tient devant une fenêtre fortement éclairée, l'ouverture diminue, et le sujet risque d'apparaître en silhouette. De nombreuses caméras disposent d'une touche de contre-jour, qui peut être utilisée pour rectifier l'exposition en de tels cas.
Le « contrôle de gain » produit un effet similaire, mais détériore la qualité de l'image.

SUJET EN SILHOUETTE
Un sujet en contre-jour peut être fortement sous-exposé.

IMAGE AVEC LA TOUCHE CONTRE-JOUR
La touche contre-jour élargit l'ouverture, afin que le sujet soit correctement exposé.

16 FAIRE LA MISE AU POINT

Tous les caméscopes modernes ont un système d'autofocus qui permet à l'utilisateur de se concentrer sur la composition de ses plans.
Les systèmes d'autofocus sont aujourd'hui si élaborés qu'ils permettent de faire la netteté même quand le caméscope ou le sujet sont en mouvement. Dans certaines situations, toutefois, le système d'autofocus sera induit en erreur : la possibilité de passer en réglage manuel est alors un avantage certain.

LA MISE AU POINT
De nombreux caméscopes offrent la mise au point automatique ou manuelle. Ici, les commandes sont situées sous l'objectif.

17 MISE AU POINT MANUELLE/ PLUS DE CRÉATIVITÉ

La mise au point manuelle demande une certaine habileté : aussi prenez l'habitude de tester chaque plan avant de le tourner. Regardez votre sujet dans le viseur et tournez la bague de mise au point (généralement située sur le corps de l'objectif) jusqu'à ce que l'image devienne nette. Soyez particulièrement attentif quand vous suivez un sujet en mouvement. Apprenez dans quelle direction vous devez tourner la bague pour conserver la netteté sur un sujet en mouvement.

- Utilisez la mise au point manuelle, afin de capter l'attention du spectateur, en déplaçant la mise au point d'un sujet à l'autre.
- Une technique de mise au point efficace est de commencer un plan avec un sujet en flou et de l'amener à la netteté.

△ IMAGE FLOUE
Une technique ingénieuse utile consiste à commencer le plan volontairement flou.

AMENER LA NETTETÉ ▷
La netteté a été faite sur le sujet, ce qui donne au nénuphar un relief saisissant.

MISE AU POINT RAPPROCHÉE SUR UNE FLEUR

18 MISE AU POINT RAPPROCHÉE

Prenez garde à la distance minimum de mise au point de votre caméscope, qui se situe normalement autour d'un mètre. Tout objet en deçà sera flou. Utilisez le dispositif macro (si vous en avez un) ou un adaptateur macro pour les plans très rapprochés. Prenez toujours un trépied quand vous utilisez un dispositif macro, et faites attention à la faible profondeur de champ (*voir p. 21*).

19 PROBLÈMES AVEC L'AUTOFOCUS

Malgré le degré de sophistication des systèmes d'autofocus modernes, certaines situations demeurent problématiques.

- De nombreux systèmes d'autofocus font la mesure sur le centre, et les sujets qui se trouvent sur les bords du cadre sont flous.
- Les sujets se déplaçant à vitesse rapide représentent une difficulté pour les autofocus. Le sujet oscille du net au flou tandis que le système essaie de le suivre.
- La pluie, la neige et les étendues d'eau peuvent également induire l'autofocus en erreur.
- On rencontre la même difficulté avec des sujets placés derrière des barreaux ou un grillage, ainsi qu'avec une rangée d'arbres ou une colonnade.

△ SUJET DÉCENTRÉ
Lorsque le sujet principal est placé vers les bords du cadre, stabilisez la mise au point manuelle sur votre sujet et cadrez à nouveau le plan.

△ LUMIÈRE FAIBLE
Les systèmes d'autofocus sont moins efficaces en faible lumière. Ici, le pelage mat du chat présente des difficultés pour le système à infrarouges.

△ DERRIÈRE UN GRILLAGE
Utilisez la mise au point manuelle pour éviter que le caméscope ne fasse la mise au point sur le grillage au premier plan.

EN DÉPLACEMENT RAPIDE ▷
Utilisez un objectif grand-angle pour faire le point sur des sujets qui, comme ce skieur, se déplaçent rapidement.

20 LA PROFONDEUR DE CHAMP

L'expression « profondeur de champ » fait allusion à la distance entre le point le plus rapproché et le plus éloigné d'une zone de netteté. La longueur focale, la distance du sujet et le diamètre de l'ouverture (réglé normalement par l'intensité de la lumière) ont une influence sur la profondeur de champ.

△ PETITE OUVERTURE
Une mise au point à petite ouverture amène une plus grande profondeur de champ. Ici, les sujets dans le cadre sont tous les deux relativement nets.

△ GRANDE OUVERTURE
Une grande ouverture entraîne une profondeur de champ relativement faible. Ici, le sujet à l'arrière-plan est flou.

21 LA BALANCE DES COULEURS

N'oubliez pas que, bien que notre œil s'adapte naturellement aux différences entre la lumière artificielle et la lumière du jour, votre caméscope doit être réglé pour assurer un rendu des couleurs précis. La plupart des caméscopes ont une balance des blancs automatique, mais certains doivent être réglés manuellement afin d'éviter la production artificielle de dominantes de couleur.

A la lumière du jour, le réglage tungstène produit une dominante bleue.

Le réglage lumière du jour enregistre les couleurs de façon correcte.

FILMER À LA LUMIÈRE DU JOUR △
Le réglage lumière du jour sert à reproduire correctement les couleurs en extérieur.

Le réglage lumière du jour produit en intérieur une dominante orange.

Le réglage tungstène enregistre correctement les couleurs en intérieur.

FILMER À LA LUMIÈRE ARTIFICIELLE △
Le réglage tungstène sert à reproduire correctement les couleurs en intérieur.

22 TIRER LE MEILLEUR PARTI DES FILTRES

Prenez le temps d'essayer les filtres susceptibles d'améliorer vos plans.

- Évitez d'utiliser trop de filtres à effets spéciaux quand vous filmez, afin que le résultat ne soit pas trop artificiel.
- Utilisez un filtre de densité neutre pour réduire la profondeur de champ par temps clair.
- Les filtres polarisants sont très pratiques ; tournez le filtre pour améliorer le contraste de l'image et la saturation des couleurs.

◁ FILTRE POLARISANT
Utilisez un filtre polarisant pour atténuer les reflets sur du verre ou d'autres surfaces non métalliques.

◁ FILTRE À DENSITÉ NEUTRE
Un filtre gradué à densité neutre peut être utilisé pour équilibrer l'exposition d'une ligne d'horizon.

◁ FILTRE COLORÉ
Ici, un filtre rose a permis de donner plus de chaleur à cette scène en améliorant le rendu des chairs.

23 SOLUTIONS AU PROBLÈME DE CONTRASTE

Attention : si vous filmez à la lumière directe et forte du soleil, le détail dans les ombres, bien que visible à l'œil, sera perdu sur la vidéo. Faites des plans séparés de la zone située dans l'ombre, ou attendez simplement que le soleil disparaisse derrière un nuage. Les journées brumeuses offrent une lumière plus égale.

- Un filtre de densité neutre peut servir à atténuer les rapports de contraste.

Les personnages sous le parasol sont sous-exposés.

Un nuage cache le soleil, amenant une lumière plus égale qui adoucit les zones d'ombres.

FILMER À LA LUMIÈRE DU SOLEIL
La lumière du soleil ajoute de l'éclat et ravive les couleurs. Mais une lumière douce peut être plus efficace.

COMMENT MANIPULER VOTRE CAMÉSCOPE

24 TENIR VOTRE CAMÉSCOPE

Tenez toujours votre caméscope (même les modèles les plus légers) à deux mains. La main droite est maintenue par la courroie de poignée et actionne les commandes principales. La main gauche est libre et peut aider à stabiliser le caméscope et à actionner toute autre commande.

■ Afin d'éviter de bouger l'appareil, utilisez, autant que possible, un grand-angle quand vous filmez l'appareil à la main.

■ Ne tenez jamais votre caméscope par l'objectif, le microphone ou le viseur.

Soutenez la base de la caméra avec votre main gauche.

VUE FRONTALE DE LA PRISE

Touches de zoom

La touche marche/arrêt est placée de façon à pouvoir être actionnée par le pouce.

UNE BONNE PRISE
Tenez fermement le caméscope avec la courroie de poignée serrée sur votre main droite. La touche de marche/ arrêt est actionnée par le pouce et la touche de zoom par l'index et le majeur..

Tous les caméscopes ont une courroie de poignée de sécutité à droite.

Tenez toujours votre caméscope à deux mains.

25 POSITIONS POUR STABILISER LE CAMÉSCOPE

La stabilité doit être la priorité quand vous filmez sans pied. Quand vous êtes debout, rentrez les coudes pour fournir un support rigide – ce sera peut-être incommode dans un premier temps, mais précieux pour augmenter votre stabilité. Écartez toujours les jambes d'une largeur d'épaules environ, la pointe des pieds légèrement tournée vers l'extérieur. Chaque fois que cela est possible, appuyez-vous contre quelque chose de rigide, comme un mur ou une barrière, ou prenez appui dans l'embrasure de porte. Pour les plans à ras du sol, les positions agenouillée et assise donnent une bonne stabilité au caméscope. Vous pouvez aussi vous allonger à plat ventre, et prendre appui sur votre sacoche.

RESPIREZ PROFONDÉMENT
Pour les plans courts qui demandent une main ferme (pour les plans rapprochés, par exemple), inspirez profondément et retenez votre respiration. Pour des plans plus longs, respirez lentement et peu.

Serrez les coudes contre votre poitrine pour être plus stable.

◁ **UTILISEZ UN APPUI**
Le dos d'une chaise ou le dessus d'une table sont parfaits pour appuyer vos coudes quand vous filmez à l'intérieur. Pour les plans en extérieur, le mur d'un jardin ou le capot d'une voiture feront également l'affaire.

Installez-vous à cheval sur une chaise.

POSITION DE BASE ▷
Cette position est à adopter pour tous les plans statiques filmés à hauteur des yeux. Les jambes raides et la pointe des pieds légèrement tournée vers l'extérieur, écartez vos pieds de 30 cm environ.

◁ AGENOUILLEZ-VOUS
Pour des plans fixes, à faible hauteur, posez une jambe à terre et utilisez l'autre pour servir d'appui au bras qui tient le caméscope.

APPUYEZ VOTRE DOS ▷
Asseyez-vous contre un mur ou un placard pour soutenir votre dos. Immobilisez la caméra sur vos genoux.

Utilisez un coussin pour être plus à l'aise.

▽ PRISES DE VUES À ANGLE FAIBLE
Allongez-vous sur le ventre en prenant appui sur le sol avec vos coudes pour filmer des plans stables à ras de terre (utilisez un coussin si possible).

26 VÊTEMENTS CONFORTABLES

Quelle que soit la position que vous adoptez, vous vous sentirez plus à l'aise si vous portez des vêtements qui ne vous gênent pas dans vos mouvements. Certaines réalisations ou certains lieux peuvent endommager vos vêtements.

- Il est préférable de choisir des chaussures à talons plats si vous désirez vous mouvoir aisément.
- Nombre de magasins d'articles photographiques vendent de solides vestes de toile munies de poches spécialement conçues pour ranger facilement vos accessoires.

27 UTILISATION DU PIED

L'utilisation d'un trépied vous permet d'élargir le choix des sujets que vous pouvez filmer avec bonheur. Vous pourrez ainsi zoomer sur un sujet sans chahuter votre image et rendre vos prises panoramiques et verticales plus fluides. Certains trépieds ont un niveau intégré qui vous garantit que la caméra reste parfaitement horizontale. Vous pouvez également choisir un monopode, plus compact, mais moins stable.

◁ MONOPODE
Placez une main sur la caméra pour immobiliser le monopode. Le monopode est idéal pour les plans fixes quand vous filmez dans des espaces réduits.

La longueur du monopode est réglable.

Immobilisez le monopode avec votre pied.

Une tête "fluide" donne une plus grande souplesse et permet des prises panoramiques et des plongées plus régulières.

Les pieds télescopiques vous permettent de varier la hauteur de vos prises de vues.

Réglez la colonne centrale pour augmenter la hauteur.

◁ TRÉPIED
Les pieds réglables permettent d'équilibrer le trépied sur un terrain inégal. La base des pieds est en général munie d'une pointe ou d'un embout caoutchouté permettant au trépied d'adhérer à toutes sortes de surfaces.

28 STABILISATEURS D'IMAGE

Choisissez dans la gamme des différents stabilisateurs d'image celui qui vous permet de minimiser le tremblement de la caméra tout en conservant la liberté de mouvement qui est réduite avec les supports fixes tels que les trépieds et les monopodes.

- Grâce aux différents stabilisateurs d'images, les mouvements classiques à la main peuvent être exécutés en position assise, debout ou agenouillée.
- Tenez toujours la courroie de l'appareil pour éviter qu'il ne glisse.

Le caméscope est monté sur une base réglable.

Un coussinet protège votre corps

Fixez la base de votre caméra au bout du support qui prend appui sur la poitrine.

Étuis pour les cassettes et les batteries de rechange.

HARNAIS △
Ceci est un stabilisateur d'image idéal pour la plupart des caméscopes compacts. Le poids du caméscope est supporté par votre épaule, et la stabilité provient de l'appui réglable et de la courroie. Ce modèle peut être attaché à un monopode.

SUPPORT DE POITRINE △
Pour les caméscopes plus petits, le support de poitrine léger vous aidera à tenir votre caméscope facilement et commodément. Ce support est fixé autour de votre cou à l'aide d'une courroie, et vous permet de garder les mains libres, ce qui est particulièrement utile pendant de longues prises de vues.

29 FILMER EN MARCHANT

Baissez-vous en fléchissant très légèrement les genoux quand vous filmez en marchant. Cela vous aide à garder un centre de gravité bas et évite le mouvement saccadé de la marche normale.

- Réglez votre objectif sur le grand-angle afin de réduire les effets du mouvement de la caméra.
- Marchez à petits pas réguliers et en souplesse.

Ouvrez les deux yeux quand vous marchez.

Rentrez les coudes.

MARCHE AVANT ▷
Veillez à donner l'impression d'un lent glissement en avançant à petits pas, vos pieds près du sol. Ce type de prise de vues est à utiliser avec modération lorsque vous suivez un sujet en mouvement.

Pliez légèrment les genoux quand vous avancez.

◁ PRISES DE VUES EN DÉPLACEMENT LATÉRAL
Passez une jambe devant l'autre pour vous déplacer latéralement. On utilise cette prise de vues pour tourner autour d'un sujet immobile et donner une impression de profondeur.

N'oubliez pas de plier légèrement les genoux.

ATTENTION
Ouvrez les deux yeux quand vous faites des prises de vues en mouvement – cela vous permettra d'évaluer les obstacles sur votre chemin et de surveiller ce qui se passe dans le viseur. Faites attention quand vous reculez ; assurez-vous que le chemin est libre.

30 PLANS-GRUES

Utilisez un plan-grue pour les mouvements verticaux et pour suivre un sujet. Pour commencer, accroupissez-vous, avec tout votre poids sur votre jambe arrière, et faites un plan fixe d'ouverture. Relevez-vous progressivement jusqu'à vous retrouver debout, tout en maintenant toujours le caméscope horizontal. Gardez quelques secondes le dernier cadrage. Recommencez cette séquence à l'envers pour suivre un sujet dans sa descente.

MONTÉE ▷
Assurez-vous que vous êtes dans une position stable pour un plan fixe d'ouverture. Tenez le caméscope horizontal en vous relevant progressivement et complètement.

PLAN-GRUE △
Ici, le plan-grue a permis de suivre la progression d'un enfant sur l'échelle du toboggan.

TRAVELLING « DOLLY » DANS UN CADDIE

31 TRAVELLINGS « DOLLY »

Pour les plans intégrant un déplacement sur une grande distance, il est préférable d'utiliser un support monté sur roues, professionnellement connu sous le nom de « dolly », pour stabiliser la caméra au maximum. Une chaise roulante ou un caddie feront également l'affaire. Demandez à quelqu'un de vous pousser à une vitesse régulière en évitant toute secousse. La conduite sera stabilisée par votre propre poids. Cramponnez-vous avec vos pieds.

32 TRAVELLINGS

Cadrer à partir d'une fenêtre de voiture ou de train est une excellente manière de filmer les paysages ou les rues des villes. Filmez avec les fenêtres ouvertes si possible (pour éviter les reflets et les problèmes d'autofocus), mais tenez-vous en arrière pour éviter les secousses du vent.

- Adoptez un angle de vue à 60 ° de la scène – avec un angle à 90 °, les détails passeraient trop rapidement pour le spectateur.

CADRAGE À PARTIR D'UNE FENÊTRE DE VOITURE

33 PANORAMIQUES

Un panoramique est un mouvement horizontal de gauche à droite ou vice versa, qui imite le mouvement que nous opérons quand nous regardons l'horizon. Les plans panoramiques sont souvent essentiels pour couvrir les séquences d'actions, mais aussi pour cadrer des sujets aux dimensions trop importantes pour un seul plan.

- Faites un panoramique pour attirer l'attention du spectateur d'un sujet vers un autre, tout en gardant clairement la relation entre les deux.
- Commencez et terminez le panoramique sur un plan fixe pour donner au spectateur le temps de s'imprégner de la scène.

COMPOSITION *Faites un plan fixe d'au moins 3 secondes au début et à la fin du panoramique.*

ANGLE *Ne faites pas un panoramique trop large – un arc de 90 ° est raisonnable. Avec un panoramique plus large, vous pouvez perdre l'équilibre.*

34 COMMENT FILMER EN PANORAMIQUE

Un trépied avec une tête « fluide » est idéal pour réussir vos panoramiques en douceur. Écartez bien les jambes du trépied et placez-vous au milieu. Débloquez la tête et cadrez votre plan d'ouverture, puis faites pivoter la caméra en suivant une courbe jusqu'à l'amener doucement au plan de fin.

- Si vous réalisez un panoramique sans pied, choisissez une position grand-angle pour réduire les mouvements de caméra.

△ POIGNÉE POUR LE PANORAMIQUE
Contrôlez le mouvement du panoramique en appuyant légèrement sur la poignée de votre trépied, ce qui assurera un mouvement en douceur sur toute la séquence.

PANORAMIQUE À LA MAIN △
Sans bouger les jambes, tournez votre corps jusqu'à être dans la position de départ. Filmez votre premier plan et revenez doucement jusqu'à vous trouver de face.

Les pieds robustes assurent la stabilité au panoramique.

Embouts caoutchoutés

35 VITESSE DU PANORAMIQUE

En règle générale, faites des panoramiques lents et réguliers pour prévenir les secousses et vous assurer que l'image ne soit pas floue. Laissez à chaque objet une durée de 5 secondes environ pour traverser le cadre, ce qui donnera au spectateur suffisamment de temps pour en saisir le détail.

36 PLONGÉE/ CONTRE-PLONGÉE

En inclinant et en relevant votre caméscope, vous imitez le mouvement de votre tête quand vous observez un sujet de haut en bas et vice versa. Il s'agit en fait d'une prise de vues en panoramique vertical. On peut l'utiliser pour suivre un mouvement vertical, ou pour communiquer au spectateur le sentiment de la dimension d'un objet de grande hauteur. A l'instar des panoramiques, commencez et terminez votre plongée ou contre-plongée par un plan fixe, afin que le spectateur ait le temps de bien voir le sujet.

IMPRESSION DE HAUTEUR ▷
Ici, le plan d'une femme regardant en l'air met la scène en place avant que le caméscope ne bascule vers le haut pour suivre la direction de son regard. La plongée/contre-plongée accentue la hauteur impressionnante du gréement.

37 RÉUSSIR PANORAMIQUES ET PLONGÉES

Des plongées/contre-plongées et des panoramiques soigneusement préparés peuvent donner à votre vidéo une touche plus professionnelle. Décidez donc toujours de l'endroit où vous allez déterminer le cadre avant de commencer à filmer. Si possible, répétez le mouvement un certain nombre de fois avant de filmer et effectuez-le lentement afin que le spectateur ait suffisamment de temps pour s'imprégner du sujet.

- Évaluez votre vitesse de panoramique et de plongée/contre-plongée en accordant au sujet environ 5 secondes pour traverser le cadre de part en part.
- Ne refaites jamais un panoramique de la même scène en sens contraire.
- Ne vous arrêtez jamais au milieu d'un panoramique ou d'une plongée/contre-plongée pour éviter un montage lourd et maladroit.

38 RÉUSSIR PLONGÉE/ CONTRE-PLONGÉE

Dirigez d'abord le caméscope vers le bas, et immobilisez la première image pendant 3 secondes environ. Penchez-vous lentement en arrière, afin que le caméscope pivote doucement selon un axe vertical. Faites à nouveau un plan fixe pendant 3 secondes. La séquence est inversée pour faire un plan en plongée.

N'inclinez pas la caméra à plus de 90 ° : vous perdriez l'équilibre.

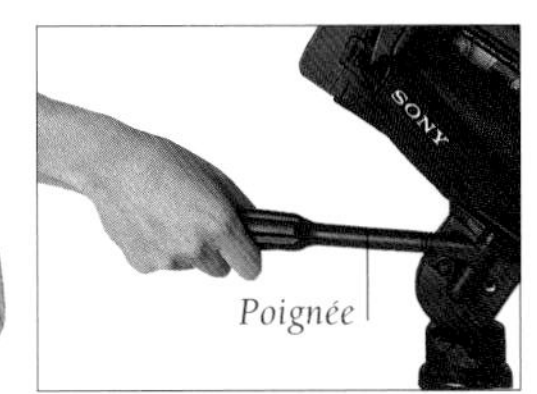

Poignée

◁ AVEC UN TRÉPIED
Placez-vous entre les jambes de votre trépied, libérez le blocage de la tête et faites votre premier cadrage. Exercez une légère pression sur le levier pour commencer la plongée, et continuez le mouvement jusqu'à l'arrêt sur la dernière image.

△ PLONGÉE/CONTRE-PLONGÉE BASSE
Pour des plongées/contre-plongées basses, mettez un genou à terre et appuyez votre coude sur votre jambe relevée. Cette position vous permettra d'obtenir une image stable au début et à la fin des mouvements. Tenez toujours la base de votre caméscope avec votre main gauche afin d'augmenter la stabilité de l'image tout au long de la séquence.

Bien écarter les jambes du trépied.

Placez vos pieds entre les jambes du trépied.

39 MOUVEMENTS ONDULATOIRES

Les panoramiques et plongées/contre-plongées continus sur un sujet pour le filmer dans sa totalité ne provoqueront qu'irritation et confusion chez le spectateur. Ce mouvement ondulatoire est une erreur courante chez les débutants. Il est préférable de filmer le sujet en plusieurs plans ou de régler l'objectif sur un plus grand angle.

UTILISATION DU ZOOM

40 LA FONCTION DU ZOOM

Utilisez le zoom pour agrandir ou réduire la taille de votre sujet dans le viseur sans modifier l'emplacement de la caméra. Faites un zoom avant pour faire ressortir de façon progressive un détail du sujet, faites un zoom arrière pour augmenter progressivement votre angle visuel. Le mouvement du zoom est commandé par une touche à bascule sur le dessus du caméscope.

Commandez le moteur du zoom en appuyant sur la touche à bascule sur le dessus de votre caméscope.

41 LE RÉGLAGE DU ZOOM

Veillez à ne pas faire trop de zooms avant et arrière pendant que vous filmez ; l'effet de « yoyo » est fatigant et pénible pour le spectateur. En règle générale, il est préférable de ne pas inclure un mouvement de zoom dans plus d'un plan sur cinq.

- Le zoom doit être surtout utilisé comme instrument pour cadrer, pour ajuster la taille du sujet dans le viseur avant de commencer à filmer.
- Procédez par petits réglages du zoom pour saisir l'action du sujet.

PRISE DE VUES AU GRAND-ANGLE
Faites un zoom arrière pour laisser apparaître une vue large du sujet de votre choix. Ici, le sujet peut être présenté en relation avec son décor.

PRISE DE VUES AU TÉLÉOBJECTIF
Le zoom avant rapproche progressivement votre sujet, mais vous remarquerez que l'angle de vue rétrécit.

42 LES DIFFÉRENTES TAILLES DES PLANS

Familiarisez-vous avec toute la gamme de prises de vues utilisées à la télévision ou dans les films industriels : ils sont d'un grand secours au moment de la préparation de votre vidéo. Bien que les plans soient définis en fonction de normes anthropomorphiques, ils peuvent s'appliquer à tout sujet.

- Quel que soit le plan que vous choisissez, faites toujours attention à la composition et veillez à éviter les plans qui tronquent les personnages sur les bords du cadre (*voir p.* 42).
- Le zoom avant progressif d'un plan général vers un plan rapproché a pour effet de guider l'attention du spectateur vers votre sujet.

PLAN D'ENSEMBLE
Un plan d'ensemble permet d'intégrer les personnages en entier. On l'utilise souvent comme un plan d'introduction, montrant les sujets dans leur environnement

PLAN MOYEN
Un plan moyen vous permet d'intégrer une personne, en la coupant sous la taille, tout en conservant des éléments à l'arrière-plan.

GROS PLAN
Utilisez un gros plan qui cadre la tête et les épaules d'une personne, afin de créer un sentiment d'intimité avec votre sujet.

GROS PLAN RAPPROCHÉ
Un gros plan rapproché, qui cadre habituellement le milieu du menton et du front du sujet, produit un impact visuel fort à la télévision.

43 ZOOM AVANT

Faites un zoom avant pour guider le regard du spectateur vers un élément important contenu dans un plan plus large. Vous pouvez aussi utiliser le zoom pour souligner un moment d'émotion, par exemple pour montrer un nouveau-né bercé dans les bras de sa mère.

◁ PLAN LARGE
Commencez avec un plan large pour mettre en place le décor et présenter la petite fille et son chien aux spectateurs.

GROS PLAN ▷
Faites un zoom avant jusqu'à obtenir un gros plan qui met l'accent sur le lien affectif fort entre la petite fille et son chien.

44 ZOOM ARRIÈRE

Faites un zoom arrière pour découvrir le décor dans lequel votre sujet se situe. Ce mouvement peut ajouter une touche comique ou dramatique si le décor est inattendu – le sourire d'un enfant semble innocent avant que le zoom arrière ne montre les vêtements et les jouets éparpillés à travers la pièce.

◁ GROS PLAN
Grâce au gros plan, nous partageons l'allégresse de l'enfant et nous sommes curieux d'en connaître la raison.

PLAN LARGE ▷
En faisant un zoom arrière pour intégrer la peluche, le public découvre la raison de la joie de l'enfant, et sa curiosité est ainsi satisfaite.

45 PLANS FIXES PENDANT UN ZOOM

Filmez un plan fixe (2 secondes environ) au début de votre mouvement de zoom afin que le spectateur ait suffisamment de temps pour appréhender le sujet. Après avoir terminé le mouvement de zoom, fixez la dernière image pendant la même durée pour permettre au spectateur de visualiser la scène.

PLAN FIXE D'OUVERTURE
Faites un plan fixe d'ouverture pendant 2 secondes, tandis que l'enfant commence à ouvrir le cadeau.

ZOOM ARRIÈRE
Faites doucement un zoom arrière et laissez le spectateur vivre l'excitation de l'enfant qui déballe son cadeau.

PLAN FIXE DE FIN
Immobilisez le plan de fin pendant 2 ou 3 secondes pour laisser au public le temps de visualiser la scène.

46 ZOOM MANUEL

Variez la vitesse du zoom en utilisant la possibilité, le cas échéant, de mettre au point de façon manuelle. Ceci vous permet d'exécuter de rapides « collisions » qui sont idéales pour provoquer un choc ou la surprise.

- Sur la plupart des caméscopes, la vitesse du zoom est commandée par le moteur.
- Les mouvements de zoom manuel sont souvent moins réguliers que ceux d'un zoom automatique.
- Si possible, répétez avant de filmer.

SUIVRE L'ACTION
Utilisez un plan d'ensemble pour suivre l'action et prévoir l'événement à l'approche de la vague.

« COLLISION »
Faites un zoom avant rapide pour souligner l'intensité dramatique au moment où le véliplanchiste s'envole.

COMMENT FAIRE UN FILM

47 UNE COMPOSITION SOIGNÉE

N'oubliez pas que les règles de la composition s'appliquent aussi bien au cadrage en prise de vues vidéo qu'à la photographie, qui concerne uniquement les images fixes. Essayez toujours d'équilibrer les différents éléments à l'intérieur de votre cadre, et n'oubliez pas de mettre en relation chaque plan avec le plan suivant. La diversité visuelle est essentielle en vidéo.

UNE COMPOSITION STATIQUE BIEN ÉQUILIBRÉE

LE SUJET PRINCIPAL EST DÉCENTRÉ

48 LA RÈGLE DES TIERS

Ne vous sentez pas toujours obligé de placer votre sujet principal au centre du cadre. Imaginez que votre cadre est divisé également par deux lignes horizontales et deux lignes verticales. Les quatre points d'intersection de ces lignes sont les zones par excellence pour placer les éléments les plus importants de votre composition.

49 Remplir le cadre

Les débutants en vidéo commettent souvent l'erreur d'inclure trop d'éléments inutiles dans l'arrière-plan. La façon la plus simple d'attirer l'attention du public sur le centre d'intérêt que vous avez choisi est de le cadrer plus serré. N'oubliez pas qu'un sujet mobile, si petit soit-il, peut distraire l'attention du spectateur du sujet statique.

Faible Intérêt △
Ici, les sujets principaux sont trop petits dans le cadre.

Plan Rapproché ▷
Le fait de saisir l'expression enjouée des personnages améliore considérablement ce plan.

Le Jardin Secret
Le fait d'apercevoir ce jardin bien ordonné à travers une arcade dans le mur en briques stimule notre curiosité sur ce qui est caché derrière. En outre, cette arcade est un motif en soi.

50 Utilisation des cadres

Bien qu'en tant que vidéaste vous soyez toujours tenu de respecter le format, horizontal d'un écran de télévision, vous pouvez néanmoins utiliser des cadres dans le premier plan pour varier vos prises de vues.

- Un encadrement de porte ou de fenêtre est un artifice souvent utilisé pour cadrer le sujet.
- Vous pouvez créer des effets plus subtils en plaçant des cadres derrière votre sujet.
- Les cadres permettent de souligner davantage encore votre sujet.

VARIER VOTRE ANGLE DE PRISE DE VUES

Mettez vos films en valeur en variant la composition de vos plans selon différents angles de prise de vues. Sur les images ci-dessous, les angles inhabituels et l'intérêt du premier plan contribuent à créer un sentiment de profondeur.

- Composez vos plans en contre-plongée en vous allongeant à terre ou en vous agenouillant.
- Composez vos plans en plongée en montant sur une chaise ou en tenant votre caméscope au-dessus de votre tête.

POINT DE VUE EN HAUTEUR

POINT DE VUE BAS

CADRAGE ET MOUVEMENT

Composez l'image d'un sujet en mouvement de façon à aménager plus d'espace devant que derrière, sinon votre sujet semblera pousser le bord du cadre.

- Commencez votre mouvement de panoramique lorsque le sujet entre dans le cadre et poursuivez-le à une vitesse régulière et de façon linéaire.
- A la fin du plan, arrêtez le panoramique, et laissez le sujet sortir de l'écran.

BORD DU CADRE

DE L'ESPACE POUR UN MOUVEMENT LINÉAIRE

53 RESSERRER SUR LE VISAGE

Quand vous filmez des personnages, et afin d'éviter une composition maladroite et déséquilibrée, ne laissez pas trop d'espace au-dessus de la tête de votre sujet. Inclinez le caméscope pour intégrer votre sujet plus complètement et effectuez un petit zoom avant pour mieux remplir le cadre.

△ TROP D'ESPACE
Trop d'espace au-dessus de la tête du personnage crée une composition déséquilibrée.

UN PORTRAIT IMPECCABLE ▷
Ici, le sujet occupe un plus grand espace dans le cadre, et la composition est satisfaisante.

54 ÉVITER LA SURCHARGE

Ne filmez pas un sujet quand il est entouré d'un fouillis inutile. Prenez le temps d'enlever les objets qui ne sont pas nécessaires, ou bien recadrez votre prise de vue sous un angle différent. Veillez à vérifier les objets à l'arrière-plan, tels que les lampadaires, qui peuvent se superposer à votre sujet.

SCÈNE SURCHARGÉE

UNE COMPOSITION ALLÉGÉE

55 DONNER DE L'ESPACE AU REGARD

Faites attention quand vous filmez des personnages en plan fixe. Cadrez votre image en laissant un espace plus important du côté où se dirige le regard plutôt qu'à l'arrière du personnage. Le résultat est plus agréable et plus logique pour le spectateur, et renforce le regard de votre sujet.

△ PAS D'ESPACE
Dans cette image, le sujet n'a pas d'espace pour regarder.

DE L'ESPACE ▷
Cette composition est de loin plus réussie : l'espace renforce le regard de l'enfant.

56 NE TRONQUEZ PAS VOTRE SUJET

Évitez de cadrer des plans qui tronquent les personnes : vous risqueriez de créer des têtes sans corps et des personnages sans pieds.

- En plan d'ensemble, laissez une petite marge au-dessus de la tête : le personnage semblerait sinon se tasser contre le bord supérieur du cadre.
- Ne laissez pas trop d'espace au-dessus des têtes.

COMPOSITION DÉSÉQUILIBRÉE

COMPOSITION ÉQUILIBRÉE

CONTINUITÉ

 CONSERVER LA DIRECTION DU MOUVEMENT

Filmez des plans successifs à partir du même côté d'une ligne de déplacement imaginaire pour conserver l'impression de continuité directionnelle sur l'écran. En restant sur l'un des côtés de cette ligne, vous pouvez relier des plans qui ont été pris à différents emplacements.

MOUVEMENT DE LA GAUCHE VERS LA DROITE

MAINTIEN DE LA LIGNE DE DIRECTION

 L'IMPORTANCE DE LA CONTINUITÉ

La ligne de déplacement est un élément du langage complexe du cinéma et de la vidéo. Le franchissement accidentel de la ligne risque d'égarer le spectateur en lui donnant à penser que votre sujet a changé de direction de façon inexplicable.

LA LIGNE DE DIRECTION
Ici, la ligne de direction va de gauche à droite et traverse le cadrage du caméscope.

CONTINUITÉ DE L'ACTION
La continuité est maintenue aussi longtemps que le véliplanchiste poursuit sa course de gauche à droite.

ACTION RENVERSÉE
Le franchissement de cette ligne modifie la direction à l'écran et égare le spectateur.

59 CHANGER DE DIRECTION SUR L'ÉCRAN

Réglez le problème de l'inversion de la direction sur l'écran (quand votre sujet semble se déplacer dans la direction opposée d'un plan à l'autre) en filmant un plan neutre directement le long de la ligne de déplacement occupée par votre sujet. Le plan neutre, où le sujet se déplace directement vers la caméra ou s'en éloigne, relie des plans successifs pris des deux côtés opposés de la ligne de déplacement.

■ Les modifications de la ligne de déplacement sur l'écran peuvent également être introduites à l'aide d'un plan de coupe (*voir p.* 56) en relation avec le sujet principal.

LIGNE DE DÉPLACEMENT
Ici, la piste est la ligne de déplacement, et la voiture est montrée dans un mouvement qui traverse l'écran de gauche à droite.

PLAN NEUTRE
Faites le lien avec un changement de direction par un plan qui montre les voitures se dirigeant sur la caméra ou s'en éloignant.

NOUVELLE DIRECTION
Le plan suivant, pris de l'autre côté de la piste, établit une nouvelle ligne de déplacement qui traverse l'écran de droite à gauche.

UNE CONVERSATION

60 LE SENTIMENT DE L'ESPACE

Quand vous filmez deux personnes en train de discuter, commencez toujours par un plan d'ensemble pour définir leur rapport dans l'espace. N'oubliez pas de garder présent ce rapport lorsque vous les filmez chacun en gros plan, faute de quoi il en résulterait une certaine confusion pour votre public.

61 SUIVRE LA RÈGLE DE LA LIGNE DU REGARD

Quand vous filmez deux plans successifs de deux personnes en train de se parler, présentez-les regardant dans des directions opposées en faisant des plans de chacun d'eux d'un côté d'une ligne imaginaire dans l'axe de leur regard. Si vous franchissez cette ligne, vos deux personnages auront l'air de s'ignorer mutuellement.

UNE LIGNE DU REGARD CORRECTE
Devant ces deux plans, le public a l'impression que les sujets sont en relation de façon naturelle : les deux plans en effet ont été pris du même côté de la ligne de regard.

DEUX SUJETS QUI S'IGNORENT
Ici, le public a l'impression que les deux sujets s'ignorent : l'un semble tourner le dos à l'autre. La caméra a franchi la ligne du regard.

62 HARMONISER LES ANGLES OPPOSÉS

Assurez-vous que les angles opposés sont en harmonie. Même quand il y a deux personnages dans un même plan (*voir ci-dessous*), conservez l'impression de relation dans l'espace en maintenant la caméra du même côté de la ligne de regard.

ANGLES OPPOSÉS
Le premier plan (ci-contre) *établit l'emplacement de la ligne du regard entre les deux sujets. Afin d'éviter toute confusion chez le spectateur, lorsque la caméra inverse l'angle pour montrer l'enfant de face* (à droite)*, elle doit rester du même côté de la ligne à 180 °.*

63 LES ANGLES COMPLÉMENTAIRES

Renforcez la relation dans l'espace entre les sujets grâce à des angles « complémentaires ». Un plan en contre-plongée d'une personne regardant vers le bas peut être complété par un plan en plongée.

◁ CONTRE-PLONGÉE
Ce gros plan a été pris en contre-plongée pour aider le spectateur à s'identifier à l'enfant.

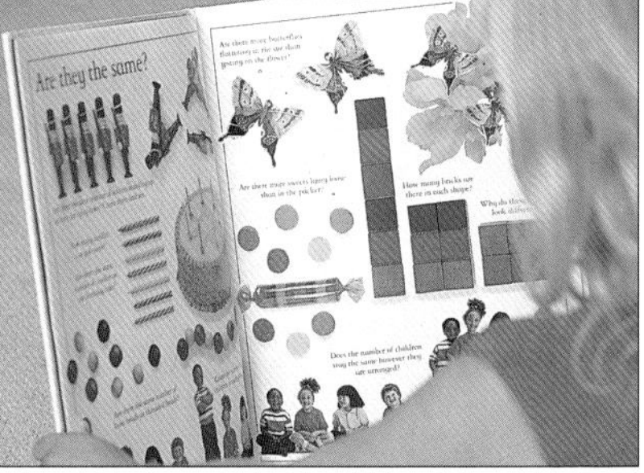

PLAN COMPLÉMENTAIRE ▷
Le plan précédent est complété par un plan du livre filmé à la hauteur du regard de l'enfant.

64 MANIPULER LA RÉALITÉ AVEC LA LIGNE DU REGARD

Lorsque l'objet du regard de votre sujet est hors champ, le public attend du plan suivant qu'il le montre. Vous pouvez utiliser cette convention pour créer l'illusion d'une relation entre des sujets qui n'en ont pas en réalité.

◁ LE REGARD DU CHAT
En réalité, le chat fixe l'objectif du caméscope.

PLAN COMPLÉMENTAIRE ▷
Cet angle complémentaire de l'enfant nous informe que c'est lui que le chat regarde.

65 LE SENTIMENT DU TEMPS

Il est essentiel que vous appreniez à évaluer la durée appropriée de chaque plan à l'écran. Avec des plans fixes d'objets immobiles, la durée du plan est déterminée par la quantité d'informations que votre public doit recevoir.

- En règle générale, plus le plan est grand, plus il montre de détails, et plus il doit rester à l'écran.
- Accordez toujours un minimum de 3 secondes à chaque plan.

PRÉSENTATION D'UNE SCÈNE
Faites durer les plans de nouveaux sujets 7 secondes environ, en fonction de la quantité d'informations dont votre public a besoin.

PLAN D'ENSEMBLE
Les plans d'ensemble d'un sujet statique doivent durer environ 5 secondes.

PLAN MOYEN
Un plan plus rapproché peut être plus court ; votre public risque de s'ennuyer si vous vous attardez trop longtemps.

GROS PLAN
Fixez les détails pendant 4 secondes environ, mais ne coupez pas trop vite, au risque d'irriter les spectateurs.

LE TEMPS DU MOUVEMENT DE LA BALANÇOIRE

66 ACTION CONTINUE

Les plans fixes qui montrent une action cyclique en continu (*ci-contre*) doivent durer suffisamment longtemps pour permettre au cycle de se répéter (au moins une fois) et éviter une coupe brutale (*voir p. 28*). Les plans statiques montrant une activité continue ou des personnages se déplaçant lentement doivent être plus longs que ceux montrant des sujets immobiles.

67 COUPER AU BON MOMENT

Comment décider du moment exact de la coupure ? C'est à vous de faire appel à votre bon sens et de savoir jusqu'à quel point votre sujet retiendra l'attention du public. Un plan de plus de dix secondes du premier gâteau d'anniversaire d'un enfant découragera jusqu'aux grands-parents les plus attentionnés. De même, le spectateur sera frustré si vous changez sans cesse de plan sans lui laisser le temps d'appréhender chaque situation. Toutefois, la pire des coupures est de terminer un plan d'action avant que celle-ci ne soit achevée (*voir ci-dessous*).

BIENTÔT LA CHUTE
Le cadrage initial met en scène un cycliste qui traverse l'écran en pédalant vers la dune à l'origine de sa chute.

UN VOL PLANÉ
Couper ici serait un désastre. Le spectateur serait bien entendu frustré de rater l'issue de cet accident spectaculaire.

ATTERRISSAGE
Couper à ce moment de l'action est plus acceptable, mais le spectateur s'inquiéterait toujours de l'état du cycliste après son accident.

PLUS DE PEUR QUE DE MAL
La scène est vraiment terminée. C'est le moment idéal pour couper. Toutefois, il convient de ne pas s'attarder sur ce cadrage pour ne pas réduire l'impact du plan.

ÉQUIPEMENT SONORE

68 ENREGISTREMENT SONORE DE BASE

N'oubliez pas que chaque fois que vous pressez la touche d'enregistrement, vous enregistrez automatiquement le son comme l'image. La plupart des caméscopes sont équipés d'un simple micro omnidirectionnel qui capte des sons dans un rayon de 360 °. Il captera donc aussi les bruits de manipulation de l'appareil.

ÉVITEZ LES BRUITS PARASITES ▷
Évitez au maximum les bruits de manipulation en prenant le temps d'apprendre l'emplacement de toutes les commandes.

◁ ÉCOUTEURS
Si possible, utilisez des écouteurs pour contrôler vos enregistrements sonores.

ENREGISTRER EN INTÉRIEUR
Choisissez avec soin votre emplacement. Le bruit ambiant peut enrichir votre vidéo dans certaines circonstances, mais ne laissez pas les bruits de fond noyer votre sujet.

69 ACOUSTIQUE EN INTÉRIEUR

Lorsque vous filmez en intérieur, soyez toujours attentif aux effets de l'acoustique sur la qualité du son. Pour améliorer cette qualité, rapprochez votre caméscope autant que possible de la source sonore. Vous devrez peut-être alors choisir de filmer au grand-angle et de modifier votre plan si nécessaire.

- Les revêtements tels que tapis, rideaux, ont tendance à étouffer le son.
- Les surfaces plus dures, comme les murs ou le verre, réfléchissent le son.
- Évitez d'enregistrer dans les salles de bains, dans les couloirs et dans les angles des pièces.

70 ENREGISTREMENT EN EXTÉRIEUR

Quand vous enregistrez en extérieur, le vent peut vous poser des problèmes. Cherchez un emplacement où vous pourrez protéger votre micro du vent, à l'abri d'un mur ou d'une haute palissade.

- Utilisez toujours une bonnette lorsque vous filmez dans le vent.
- Réduisez les bruits de fond, comme celui du passage des avions et des voitures, en utilisant un micro directionnel (*voir p. 51*).

PROTÉGEZ LE MICROPHONE △
Quand vous filmez en extérieur, un arbre peut faire office de brise-vent. Les murs du jardin, utiles pour immobiliser la caméra (voir p. 25), *sont aussi des écrans efficaces contre le vent.*

71 TESTER VOTRE MICROPHONE

Afin de réussir vos enregistrements sonores avec le caméscope, vous devez connaître les performances du micro incorporé.
Vérifiez-en l'efficacité à l'aide de ce test facile : demandez à un ami de lire à voix haute pendant que vous l'enregistrez. Commencez à une distance d'un mètre et reculez par intervalles d'un mètre. Repassez la bande pour vérifier la distance maximum jusqu'à laquelle la voix reste audible.

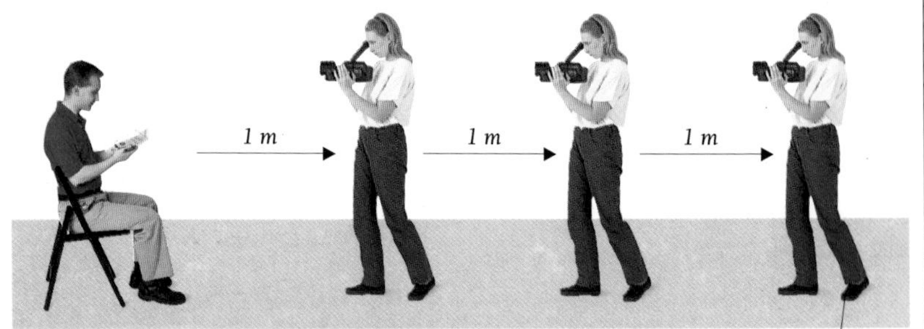

VÉRIFIER LA DISTANCE
Notez jusqu'à quelle distance vous pouvez vous éloigner du lecteur avant que le son ne devienne inaudible.

Pour tester le micro, éloignez-vous du lecteur par intervalles d'un mètre.

72 MICROPHONES AUXILIAIRES

Une fois que vous avez maîtrisé les techniques de base de l'enregistrement sonore, vous pouvez dépasser les limites de votre microphone incorporé et élargir vos possibilités créatives en utilisant toute une gamme de microphones auxiliaires.

MICROPHONES ADAPTABLES AU CAMÉSCOPE
Branchez un micro adaptable sur la prise de microphone externe pour débrayer le microphone incorporé et diminuer les interférences provoquées par les bruits de manipulation. Il en existe de toutes sortes dont le rayon de sensibilité est adapté aux différentes circonstances d'enregistrement (voir p. 13).

MICROPHONES CARDIOÏDES TENUS À LA MAIN
Les micros cardioïdes ont un angle de réception du son plus étroit que les micros omnidirectionnels – ils sont plus sensibles au son émis de côté ou de face qu'à celui provenant de l'arrière. Le micro cardioïde tenu à la main est fréquemment utilisé dans les interviews, où il peut être tendu vers les personnes interrogées.

MICROS-CRAVATES
Les petits micros-cravates sont des micros omnidirectionnels, idéaux pour les interviews. Comme son nom l'indique, ce micro se fixe à une cravate ou une écharpe, ou à tout vêtement au-dessus de la poitrine. On peut discrètement cacher le câble du micro dans les vêtements. Évitez que les vêtements ne frottent trop sur le micro, car ce bruissement risque d'être enregistré ou de voiler le son.

COMPRENDRE L'ÉCLAIRAGE

L'éclairage est fixé sur un sabot sur le dessus de l'appareil.

TORCHE FIXÉE SUR LE CAMÉSCOPE

73 ÉCLAIRAGE SUR CAMÉRA

Fixez une torche de faible voltage au sabot porte-accessoires qui se trouve sur le dessus du caméscope pour avoir un éclairage supplémentaire.

- Une torche de ce type ne fournit qu'un faisceau étroit de lumière sur une zone limitée, aussi est-il préférable de l'utiliser pour éclairer les gros plans.
- Certains modèles peuvent basculer pour que le plafond renvoie la lumière.
- L'autonomie de votre batterie est en général de 20 minutes seulement : pensez à prendre des batteries de rechange.

74 ÉCLAIRAGE TENU À LA MAIN

Bien qu'il soit moins pratique que l'éclairage fixé sur la caméra, l'éclairage portable est plus puissant et plus maniable. Il peut être dirigé à 45 ° environ de l'axe de l'objectif, ce qui donne un effet de modelé souvent plus agréable que celui procuré par l'éclairage, plus dur, monté sur le caméscope.

- L'éclairage portable peut être la source principale pour des plans d'ensemble de personnes.
- Pour plus de souplesse, demandez à un ami de tenir la torche – de préférence au-dessus de l'objectif et dirigée vers le bas.

L'autonomie de la batterie est de 20 à 40 mn et celle-ci demande en général plusieurs heures pour être rechargée.

Torche portable

TORCHE PORTABLE AVEC BATTERIE

75 ÉCLAIRAGE BRANCHÉ SUR LE SECTEUR

Les éclairages vidéo branchés sur le secteur produisent un faisceau de lumière large et puissant, et sont adaptés pour éclairer des plans de groupes.

- Sur certains éclairages vidéo, vous pouvez varier le rayon lumineux d'un faisceau large à un plein spot.

Les volets contrôlent le flux lumineux.

Chaque éclairage est pourvu d'un pied réglable.

◁ LUMIÈRE HOMOGÈNE POUR LES GROUPES
Placez les éclairages en hauteur, à environ 45° de l'objectif, assez loin pour fournir un éclairage homogène.

ÉCLAIRAGE SECTEUR À CONTRE-JOUR ▷
Placez un éclairage derrière votre sujet principal pour détacher les personnages du fond.

76 LUMIÈRE DIFFUSE

Adoucissez votre éclairage pour produire une qualité de lumière plus diffuse, plus naturelle et plus égale.

- Certaines lampes ont des diffuseurs intégrés, mais la diffusion est meilleure s'il y a une certaine distance entre la source de lumière et le diffuseur.
- Improvisez des diffuseurs en fixant des papiers calques ou même un drap blanc devant la lumière. Mais ne placez jamais des matières inflammables trop près des lumières qui deviennent brûlantes.

PRENDRE UN DRAP COMME DIFFUSEUR
Suspendez un drap aux volets en guise de diffuseur, tendez-le à distance de la lampe pour produire un éclairage plus doux.

77 LUMIÈRE RÉFLÉCHIE

Si vous n'avez pas de diffuseur à portée de main, essayez de faire réfléchir la lumière sur un plafond ou un mur blanc, afin de produire une lumière plus égale qu'un éclairage direct.

- Si la surface réfléchissante n'est pas blanche, votre sujet peut prendre une dominante colorée non naturelle.
- La lumière naturelle d'une fenêtre peut être réfléchie vers votre sujet à l'aide d'un carton blanc judicieusement disposé.

LUMIÈRE DE LA FENÊTRE RÉFLÉCHIE DANS LES PAGES D'UN LIVRE

78 ÉCLAIRAGE IMPROVISÉ

Pour des plans en intérieur, quand vous ne disposez pas d'éclairage vidéo branché sur batterie ou sur secteur, improvisez en utilisant les installations existantes du lieu.

- Dirigez des lampes de bureau pour éclairer certaines parties d'une pièce.
- Ouvrez les portes pour permettre à la lumière de se répandre sur les zones à proximité.
- Utilisez des lampes à ampoules de haut voltage.

PLAN D'UNE FÊTE EN INTÉRIEUR

79 PRÉCAUTIONS À PRENDRE

Quand vous avez recours à l'électricité, faites toujours de la sécurité votre souci principal. Les ampoules de spots devenant très chaudes il ne faut jamais les recouvrir, le matériau pourrait fondre et brûler.

- Maniez les éclairages vidéo avec soin, utilisez des gants de jardinage pour régler les volets quand ils sont chauds.
- Débranchez toujours les lampes quand vous les déplacez. Les ampoules dureront ainsi plus longtemps.
- Laissez les ampoules refroidir avant de les emballer et de ranger.
- Laissez courir librement les câbles et scotchez-les au sol quand cela est possible, pour éviter les accidents, surtout en présence d'enfants.
- Prenez le temps de lester les pieds des lampes avec des sacs de sable pour éviter les chutes.
- Prenez garde à ne pas faire sauter le compteur.

MONTAGE

80 COMMENT MONTER VOS VIDÉOS

Avec une préparation un tant soit peu soignée, le montage est l'aboutissement du tournage, mais la longueur des plans et par conséquent le contenu seront définitifs.
Vous pouvez obtenir un montage plus élaboré en copiant votre bande originale sur une autre bande à l'aide d'un magnétoscope. Vous n'aurez besoin que d'un caméscope, d'un magnétoscope et d'un téléviseur, avec les branchements appropriés.

1 Une fois la bande de montage chargée dans le magnétoscope mis en pause d'enregistrement, faites défiler la bande de départ sur votre caméscope jusqu'au début du premier plan que vous avez choisi. Mettez le caméscope en mode pause.

2 Relâchez la touche pause sur les deux appareils au même moment : le magnétoscope commencera à enregistrer le passage choisi. Gardez le doigt posé sur la touche pause, prêt à arrêter l'enregistrement.

3 Regardez le moniteur du téléviseur jusqu'à la fin de la section que vous voulez enregistrer – le point de sortie – puis appuyez sur la touche pause pour arrêter l'enregistrement. Vous pouvez maintenant répéter l'opération pour enregistrer le plan suivant.

81 POUR MONTER DE BANDE À BANDE

Pour préparer votre montage, faites une liste de tous les plans sur votre bande de départ et utilisez-la en référence.

- Le téléviseur devra être réglé sur le canal vidéo habituel. Il peut être utilisé comme moniteur pour votre caméscope et votre magnétoscope à la fois.
- Les deux appareils doivent revenir en arrière chaque fois que vous arrêtez l'enregistrement. N'oubliez pas que vous perdez toujours une seconde environ au début et à la fin de chaque plan.

82 MONTER AVEC DES PLANS DE COUPE

Lors du montage, utilisez des plans de coupe pour relier deux plans qui sont en relation mais qui apparaissent à des moments différents. Un plan de coupe relie en effet deux périodes à l'écran. Il est souvent utilisé pour condenser des événements qui, montrés dans leur intégralité, lasseraient le spectateur. Toutefois, le plan de coupe doit garder une certaine relation avec le sujet principal, afin qu'il ait un sens pour le public.

- L'assemblage de deux ou de plusieurs plans de coupe est un artifice utile : il suggère l'écoulement d'une période plus longue.

MISE EN PLACE DE LA SCÈNE
Un plan d'ensemble installe le sujet et son décor. Il faut laisser du temps au public pour s'imprégner de l'atmosphère du film.

JEU DE L'ENFANT
Poursuivez la séquence avec le gros plan d'un enfant. Le spectateur peut alors voir que l'enfant commence à construire un château de sable.

UNE COUPE BRÈVE SUR LA MER
Pour éviter de montrer toute la construction du château, faites un plan de coupe sur la marée montante – l'enfant aura-t-il le temps de finir son château ?

MON ŒUVRE
Vous pouvez maintenant couper pour introduire le dernier plan, qui est un autre gros plan de la petite fille radieuse à côté de son château.

83 MONTER EN UTILISANT DES INSERTS

Les inserts sont une technique utile si vous enregistrez un événement trop long pour être montré dans son intégralité.

- Exprimez l'écoulement du temps en coupant un plan large pour montrer le détail d'une scène. L'insert doit être identifiable immédiatement comme une partie de la scène de départ, pour être intelligible pour le spectateur.
- Les inserts peuvent être utilisés pour fournir au spectateur des informations supplémentaires – un insert sur un gâteau décoré à l'occasion d'une fête nous informe qu'il s'agit d'un anniversaire.

DÉJEUNER À L'EXTÉRIEUR
Commencez la séquence par un plan d'ensemble qui met en place la scène. Ici, une mère et ses deux enfants déjeunent dans un salon de thé.

PLAN DE COUPE SUR UN GÂTEAU
Soulignez le temps qui s'écoule par un détail de l'enfant. Les inserts servent à apporter des informations supplémentaires sur une situation.

SAUTS D'IMAGES
Éviter de débrancher et rebrancher le caméscope pendant que vous le maintenez sur la même position, pour ne pas créer d'affreux sauts d'images.

FIN DU REPAS
Vous pouvez maintenant couper sur un plan plus large de la fin du repas : protagonistes comme spectateurs ont eu tout leur content.

84 UTILISER FONDU ET BALAYAGE

Utilisez le dispositif du fondu (si possible) pour relier deux plans séparés sans être obligé de faire appel à des coupes maladroites. Les fondus peuvent suggérer le passage du temps si vous ne disposez pas, pour ce faire, de plans de coupe ou d'inserts adéquats.

- Les fondus peuvent servir à indiquer la fin de séquences tournées dans un seul endroit ou sur un seul sujet.
- Les balayages sont une autre transition visuelle permettant de relier des sujets. La fin d'un plan est gelée digitalement et stockée dans la mémoire du caméscope. Le plan est alors remplacé par un nouveau plan d'une action en cours, qui apparaît progressivement au cours d'un balayage qui traverse l'écran.

MAISON DE CAMPAGNE
Le dernier plan d'une scène tournée à la campagne est gelé.

DISPARITION DE LA MAISON
Une nouvelle scène apparaît, et traverse l'écran de droite à gauche.

APPARITION DE LA PLAGE
La plage occupe maintenant tout l'écran.

85 LES AVANTAGES DE LA TABLE DE MONTAGE

Pour faire des montages plus précis, il est utile d'acheter une table de montage. Cet appareil inestimable vous garantit un contrôle maximum pour chaque étape du montage.

- Les tables de montage sont pourvues d'une seule série de commandes pour l'appareil de lecture et l'appareil d'enregistrement.
- Utilisez-la pour prévisualiser chaque montage avant de l'enregistrer (et modifiez le point d'entrée si vous n'êtes pas satisfait du résultat définitif).
- Certaines tables de montage vous permettent d'intégrer des effets spéciaux digitaux.
- Le dispositif idéal comprend un simple magnétoscope pour la lecture, relié par la table de montage à un autre magnétoscope plus sophistiqué. Il est préférable que chaque magnétoscope ait son moniteur pour comparer les points d'entrée et de sortie.

TABLE DE MONTAGE

86 FILMER EN PRÉVISION D'UN MONTAGE

Une fois que vous avez maîtrisé les techniques de base du montage bande à bande, vous pouvez commencer à prendre des plans en anticipant leur montage. Bien que la séquence ci-dessous soit formée de six plans montrant le passage de la voiture des pompiers, il s'agit en réalité de trois plans montés ultérieurement.

PREMIÈRE PARTIE DU PREMIER PLAN D'ENSEMBLE

PREMIÈRE PARTIE DU PLAN RAPPROCHÉ PRIS PLUS TARD

CONTRE-PLONGÉE D'UN TROISIÈME ANGLE

DEUXIÈME PARTIE DU PREMIER PLAN D'ENSEMBLE

DEUXIÈME PARTIE DU PLAN RAPPROCHÉ

TROISIÈME PARTIE DU PREMIER PLAN D'ENSEMBLE

UN MARIAGE

87 PRÉPARER VOTRE FILM

Une préparation et un planning soignés sont la clef d'une vidéo de mariage réussie. Faites une liste de tous les éléments que vous voulez inclure dans votre vidéo et préparez alors soigneusement chaque plan. Prévoyez les situations qui nécessitent un éclairage alimenté sur le secteur ou par batterie, un pied ainsi que des filtres appropriés pour mettre en valeur vos images.

- Vous aurez à vous déplacer d'un endroit à l'autre : visitez-les donc à l'avance et notez le temps qu'il vous faut pour chaque déplacement.
- Assurez-vous d'avoir l'autorisation de filmer.
- Assistez à la répétition de la cérémonie et faites des plans d'essai sous différents angles.
- Vérifiez l'acoustique du lieu. Frappez dans les mains pour mesurer la réverbération (*voir p. 49*).

LISTE DES PLANS
Faites une liste des plans afin d'être prêt pour chaque événement. La liste ci-dessus concerne l'arrivée de la mariée.

Utilisez des confetti et des fleurs pour rajouter de la couleur.

PHOTOS ET FLEURS
Pour vous aider à mettre en scène le mariage, intégrez des plans du carton d'invitation et de photographies des mariés provenant des albums de famille.

88 LES PLANS D'OUVERTURE

Ajoutez une touche professionnelle à votre vidéo en utilisant des photographies pour les plans d'ouverture. Punaisez les photographies sur un mur ou sur une planche et, pour un meilleur résultat, utilisez un ensemble de deux lampes vidéo disposées à un angle de 45 ° par rapport aux photos, afin d'obtenir une lumière plus égale.

- Utilisez le dispositif macro de votre caméscope pour montrer le détail des photographies ou pour inclure le contenu du carton d'invitation.

89 LA PRÉPARATION DE LA MARIÉE

Filmez les premiers moments où la mariée se coiffe et se maquille en préparation du grand événement. Une image dédoublée de la mariée et de son reflet dans le miroir peut être à l'origine d'un plan séduisant. Terminez avec un plan de la mariée quittant son domicile.

- Incluez des plans relatifs à la décoration du lieu de réception et à la mise en place des fleurs.
- Les facéties des enfants sont un élément humoristique bienvenu.
- Faites un montage des différents plans afin de susciter une ambiance d'attente.

◁ ARRIVÉE DU GÂTEAU
L'arrivée du gâteau est habituellement un moment fort dans la préparation de cette grande occasion.

DISPOSER DES FLEURS ▷
Les fleurs ajoutent toujours de la couleur à vos plans, insérez-les donc dans les séquences de la préparation.

◁ LE PÈRE DE LA MARIÉE
Assurez-vous d'avoir un bon plan de la mariée quittant la maison familiale au bras de son père.

UN MOMENT ÉMOUVANT ▷
Finissez la séquence avec un plan intimiste de la mariée dans la voiture, au moment du départ pour la cérémonie.

90 LA CÉRÉMONIE DU MARIAGE

L'idéal est de faire une prise de vue frontale ou de trois quarts du couple avec l'assistance placée derrière.
Placez votre trépied suffisamment loin pour faire du couple un portrait en pied quand l'objectif est en position grand-angle. Vous pouvez alors utiliser le téléobjectif pour filmer des gros plans du couple ou les réactions de la famille et des amis.

L'ARRIVÉE DE LA MARIÉE
Assurez-vous que le dos de l'officiant n'obstrue pas le champ.

LE BONHEUR DU COUPLE
A partir de l'ouverture du grand-angle, resserrez en plan moyen pour inclure quelques invités.

L'ÉCHANGE DES ANNEAUX
Resserrez en gros plan sur les mariés au moment de l'échange des anneaux.

91 INSTANTANÉS DE LA FAMILLE ET DES AMIS

Lors de la réception, utilisez le téléobjectif pour faire des instantanés de la famille et des amis. Trouvez une position qui vous permette d'avoir une vue dégagée des événements, assez proche de la table pour assurer au discours une bonne qualité sonore. Utilisez la mise au point manuelle pour isoler des individus au sein des groupes.

VISAGES RÉJOUIS
Construisez des séquences à partir de plans d'amis qui admirent la robe de la mariée.

UN INSTANTANÉ
Faites-vous désigner les invités qu'il ne faut surtout pas oublier, sous peine de les offenser.

LES VACANCES

92 LA PLAGE

Prenez le temps de composer des plans larges de la plage.
Levez-vous de bonne heure pour saisir la douceur de la lumière matinale et le calme. Plus tard dans la journée, filmez quelques activités de plage qui égayeront votre vidéo.

- De nombreuses vidéos de vacances sont ratées, n'étant pas assez structurées. Essayez de choisir un thème ou d'introduire un récit pour lier les plans d'ensemble.
- Suscitez l'intérêt du spectateur en variant le contenu et assurez-vous toujours d'inclure dans votre vidéo des plans de personnages.

PLAGE △
Ici, un simple personnage sur une vaste plage déserte introduit une ambiance de vacances, de paix et de tranquillité.

CHANGEMENT DE VITESSE △
Le passage d'un véliplanchiste ajoute une touche d'action et de couleur. Des plans comme celui-ci peuvent modifier avantageusement la trame de votre vidéo de vacances.

PLANIFICATION DE VOTRE VIDÉO DE VACANCES
Quel que soit le type de vacances que vous choisissiez, il est toujours préférable de planifier votre vidéo. Grâce l'étude des guides de voyage ou des brochures, ayez une idée claire des sujets que vous désirez filmer. Vous pourrez découvrir un bon thème pour votre vidéo de vacances avant même de partir.

SORTIR EN MER △
Un groupe de plongeurs se prépare à explorer les profondeurs. Un trépied a servi à maintenir la ligne d'horizon.

93 La vie urbaine

Apprenez à connaître une ville avant d'essayer d'en saisir l'atmosphère en vidéo. Prenez le temps de vous promener sans votre caméscope, tout en notant les sujets intéressants. Relevez à quelle heure de la journée les principaux édifices et les statues bénéficient de la plus belle lumière. ■ Prévoyez un plan d'ouverture et un plan de fermeture pour chaque séquence, et reliez les différents éléments. Une technique simple consiste à filmer une personne en train de regarder avant de filmer l'objet de sa curiosité. Faites des plans des panneaux de signalisation pour entraîner le spectateur dans une nouvelle direction.

Vue générale de la ville
Un plan large de la ville pris d'un point de vue élevé sert d'introduction. Un adaptateur grand-angle peut s'avérer utile.

Un détail instructif
Des détails filmés à l'aide d'une longue focale pimentent votre séquence. Laissez ici au spectateur le temps de lire les inscriptions.

Faites un tour
Une bonne manière de découvrir une grande ville est de prendre le bus ou le tramway : ils proposent des visites guidées et sont un objet de curiosité en eux-mêmes.

La ville, la nuit
Votre équipement vous permet de filmer la ville la nuit. Les réverbères, les feux de circulation et les néons donnent à la ville un autre visage.

94 Filmer un monument

Un adaptateur grand-angle est inestimable quand il s'agit de filmer les édifices. Cela vous évitera de faire trop de plans panoramiques.
N'hésitez pas à pratiquer les plans rapprochés pour insister sur certains détails de l'architecture.

- L'éclairage est un élément décisif dans ce genre de prise de vues. Évitez de filmer à midi ou au milieu de la journée, quand le soleil est vertical : le détail de l'architecture sera assombri par des ombres épaisses.

△ Une Journée Maussade
Une journée maussade offre une lumière qui souligne les détails. Un soleil oblique met en évidence la forme d'un bâtiment.

Détails Architecturaux ▷
Faites un zoom avant pour composer des plans de détails architecturaux.

95 En voyage

Prenez toujours vos précautions quand vous emportez votre coûteux matériel à l'étranger.

- Les caméscopes sont la proie favorite des voleurs ; assurez bien votre équipement.
- Bien que les machines à rayons X et les détecteurs de métal n'endommagent pas les bandes vidéo, faites attention aux portails électromagnétiques utilisés dans les aéroports. En cas de doute, demandez une fouille manuelle.
- Quand vous voyagez en avion, prenez votre matériel en bagages à main, dans une mallette de protection robuste.

Matériel Électrique △
Les adaptateurs de prise pour le secteur peuvent être indispensables à l'étranger. La plupart des chargeurs de batterie peuvent être réglés sur les différents types de voltage.

LE SPORT

96 SAISIR L'ACTION

La position du caméscope est essentielle pour la prise de vue sportive. En ce qui concerne les sport d'équipe tels que le football ou le basket, choisissez un point de vue élevé, près de la ligne centrale, et faites des plans panoramiques pour suivre le déroulement du jeu. Utilisez un trépied pour stabiliser les gros plans pendant que vous filmez l'action en détail.

△ POINT DE VUE ÉLEVÉ
Certains sports se filment tout naturellement d'un point de vue inhabituel.

△ UNE COURSE
Les courses ne peuvent être filmées qu'en partie. Filmez les réactions d'un spectateur pour relier les plans.

◁ COURT DE TENNIS
Filmez les rencontres de tennis à partir d'une extrémité de la surface de jeu en utilisant un grand-angle. Vous pouvez faire de petits panoramiques pour suivre l'action dans son mouvement latéral.

▽ CADRAGE LARGE
Ici, on a utilisé un adaptateur grand-angle pour cadrer la totalité du court de tennis.

97 FILMER PAR TEMPS DE PLUIE

Par temps de crachin, ou quand vous risquez de recevoir des éclaboussures de pluie et de neige, utilisez un boîtier étanche pour protéger votre caméscope de la condensation et de l'humidité. Cette protection vous permettra de faire des plans d'action sous des angles spectaculaires.

■ Les adeptes de la plongée sous-marine ou en apnée auront recours à un boîtier étanche.

BOÎTIER ÉTANCHE

SUIVRE L'ACTION
Avec un zoom performant, vous pouvez suivre les sports aquatiques à l'abri sur le rivage.

VUE DU RIVAGE
Quand vous filmez de la plage, n'oubliez pas que le sable et les embruns peuvent endommager votre caméscope.

REGARDEZ ET APPRENEZ
Utilisez votre caméscope pour examiner les aspects les plus importants de votre sport préféré.

98 LE SPORT À LA LOUPE

Votre caméscope peut vous servir à analyser votre jeu au golf, votre position quand vous plongez, ou vos coups au tennis. Quel que soit le sport que vous pratiquez, une vidéo peut vous aider à vous améliorer..

■ Utilisez un trépied et faites un cadrage qui comprend l'action tout entière.

■ Des vitesses d'obturation élevées sont idéales quand vous filmez des sports rapides. Analysez les mouvements au ralenti sur votre magnétoscope.

■ Utilisez toujours les vitesses d'obturation rapides en cas de forte luminosité.

LES ANIMAUX

99 LES ANIMAUX FAMILIERS

Filmez vos animaux familiers pour comprendre leur comportement. Une bonne connaissance de leurs habitudes vous aidera à en saisir les traits les plus divertissants. Les chiens sont des sujets particulièrement intéressants, dans la mesure où ils peuvent obéir aux ordres. Filmez votre chat en train de jouer avec son jouet favori.

■ Si possible, filmez à hauteur de regard de votre sujet. Avec les animaux plus petits, filmez à ras de terre (*voir p. 25*), ou bien placez le sujet à votre hauteur en le posant sur une table.

△ VOTRE CHAT
Le chat est souvent trop paisible pour faire un bon sujet. Attendez qu'il soit d'humeur ludique.

NOS AMIS À PLUMES
Même avec des sujets de petite taille, tels que les oiseaux, le fait de filmer à hauteur de regard instaure entre le spectateur et le sujet une relation étroite.

Observation des Oiseaux
L'adaptateur télé et un trépied sont indispensables pour filmer en gros plan la vie des oiseaux.

100 La vie des oiseaux

Les oiseaux sont des sujets intéressants et qui apportent de l'éclat à votre vidéo. Vous pouvez les filmer sans qu'il soit besoin de dépasser les limites de votre jardin. Pour ce, installez une mangeoire et notez les heures où les oiseaux viennent manger. Tenez-vous prêt et campez-vous de façon à ne pas être vu. La meilleure solution est de filmer de l'intérieur, en passant l'objectif par une ouverture de rideau.

101 La vie des animaux sauvages

Vous pouvez filmer relativement facilement des animaux plus sauvages à l'abri dans votre voiture dans les safaris-parcs. Les réserves naturelles offrent un cadre idéal pour faire des films intéressants. Repérez le moment des repas pour filmer les animaux en activité.

- Faites preuve d'une grande patience pour réussir vos plans dans la nature. Renseignez-vous sur les habitudes des animaux avant de vous mettre au travail.
- Afin de disposer des conditions de luminosité les plus favorables, filmez tôt ou tard dans la journée.
- Des vêtements discrets vous permettront d'approcher votre sujet.

Une Petite Merveille △
Vous pourrez trouver dans votre propre jardin des sujets d'étonnement.

◁ Un Singe Fort Occupé
Respectez la vie des animaux sauvages. N'utilisez pas d'éclairage vidéo trop fort, pour ne pas les déranger.

INDEX

Crédits Photographiques

Photographies

CODE : h *haut*, b *bas*, c *centre*, d *droite*, g *gauche*.

L'ensemble des photographies a été réalisé par
John Bulmer
excepté :
Jane Burton 68h ; Peter Chadwick 66hg ; Geoff Dann 39b ;
Mike Dunning 38b ;
Philip Gatward 37bg, bd, 39h, 40b, 41bg, bd, 43b, 48, 51hg, 54b,
63hd, 66hd ; John Heseltine 65hg, hd ;
Mary-Clare Jerram 63hg ; Neil Lunas 38h, 64 ;
Damien Moore 17h, 21hg, bg, 38b, 58hg ;
Susanna Price 3, 4, 5, 8, 9, 10, 14b, 18b, 23, 24, 25, 26, 27, 28,
29hg, 31, 32g, 33, 41h, 44b, 45hg, hd, cg, cd, 46bg, 66bg, 71, 72 ;
Matthew Ward 67b ; Jerry Young 69hg, bg, bd.